KB096674

꿈꾸는 모험

꿈꾸는 모험

발 행 | 2023년 12월 29일
저 자 | 아름다운 수영 어린이
기획 및 제작 | 박경애 선생님
펴낸이 | 한건희
펴낸곳 | 주식회사 부크크
출판사등록 | 2014.07.15.(제2014-16호)
주 소 | 서울특별시 금천구 가산디지털1로 119 SK트윈타워 A동 305호
전 화 | 1670-8316
이메일 | info@bookk.co.kr

ISBN | 979-11-410-6089-3

www.bookk.co.kr

꿈꾸는 모험

아름다운 수영
어린이 지음

이 도서는 부산시교육청 **선생님과 함께 읽어요** 프로그램
지원금을 받아 제작되었습니다.

차례

여는 말

어린이의 글과 그림은 그 자체로 소중합니다. 매해 만나는 아이들의 생각들을 모아 책을 만듭니다. 그림책, 에세이, 동화책으로 다양하게 책을 만들어 아이들의 이름을 기억합니다.

올해 개성 넘치는 우리 반 아이들과 동화책을 만들게 되었습니다. 일 년 동안 삶을 함께 하던 아이들과 벌써 헤어질 날이 다가옵니다. 2023년 6학년 3반 27명의 이름을 이 책에 담습니다.

아이들과 함께 글감을 찾고, 일곱 가지 생각을 모아 한 권의 책을 완성하였습니다. 디지털 드로잉으로 이야기에 알맞게 그림을 그리기도 하며 자신만의 그림체를 표현하였습니다.

친구들과 협동하여 글과 그림을 완성했으며, 역할분담을 통해 각자 맡은 부분에 최선을 다했습니다. 이야기 속에는 모험, 우정 등 상상이 가득합니다. 이야기를 창작하는 과정은 어렵지만 함께 만들면 가능합니다. 창작의 과정을 경험한 아이들이 책을 좀 더 가까이하면 좋겠습니다.

2023년 꿈꾸는 이야기를 엮으며
박경애

제1화

괘종시계 소리

괘종시계 소리

글 · 그림 주서현, 정수빈, 한예지

열쇠를 찾았으니까
여기에 대한
힌트를 줄게.
아까 종소리 들었지?
여기는 종이
울릴 때마다
장소가 바뀌.
열 번째에는
이성을 잃고
동물이 되어가.

난 특이하게도
열 번이 지나
동물이 되어도
이성을 잃지 않았지.
여기까지 내가
아는 내용이야.

15

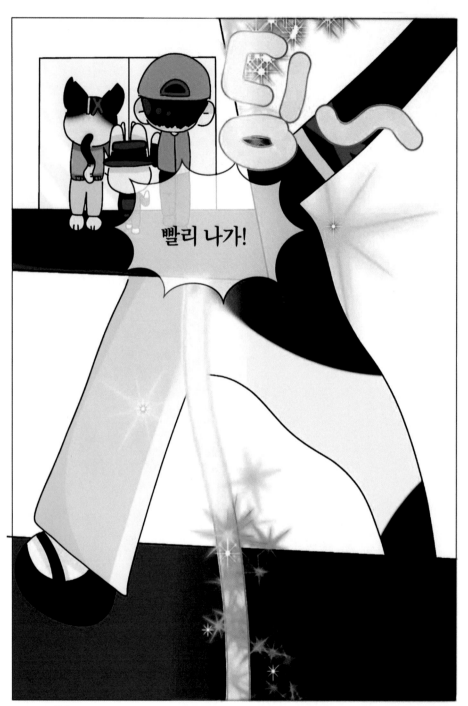

그 후로 교장선생님은
보이지 않았다.
토끼는 본래 모습으로,
예빈이와 친구들도
모두 자신의
삶으로 돌아갔다.

제목	여름방학에 있었던 일

날짜 7월 29일 날씨 ☀️ 맑음

여름방학식에 폰을 찾으러 갔다가

학교에 갇혔다. 어디선가

고개종시계 소리가 들린다. 우연히

만나게 된 토끼와 학교를 탈출 하

려고 했는데 ...

제2화

퐁퐁이의 모험

퐁퐁이의 모험

전민환, 홍민혁

퐁퐁이는 핫도그를 좋아하는 공룡이다.

'아, 배고파. 핫도그를 안 먹은 지 두 시간째야…….
집에 가서 핫도그를 만들어 먹어야겠다.'

퐁퐁이가 집으로 갔다.

"어! 머스터드가 다 떨어졌네?"

퐁퐁이는 머스터드를 사기 위해 마트에 갔다. 원하는
머스터드를 샀는데, 맛있는 요리를 할 생각에 기분이
좋아졌다.

퐁퐁이는 기름으로 달군 팬에 소시지와 빵을 구웠다.
빵 사이에 소시지를 끼운 후 새로 산 머스터드와 케첩

을 뿌려서 한입에 먹었다. 갑자기 얼굴이 노래지더니 핫도그를 뱉어냈다.

"너무 써! 이거 머스터드 맞아? 혹시 다른 머스터드도 이런 맛이 나는 걸까? 마트에 가서 모든 머스터드를 사서 확인해야겠어!"

퐁퐁이는 급히 마초를 불러 마트에 갔다. 마초는 눈썹을 실룩거리며 말했다.

"퐁퐁아, 머스터드 맛이 이상하다고?"

"응. 엄청 쓴맛이야."

퐁퐁이와 마초는 머스터드를 사서 꿀꺽꿀꺽 삼켰다. 그런데 맛이 너무 쓰고 매웠다. 순간 얼굴이 일그러지더니 서로의 얼굴에 뿜어버리고 말았다.

마초가 얼굴을 찡그리며 말했다.

"으으, 짜증 나. 이런 맛의 머스터드는 먹기 싫어."

퐁퐁이가 사뭇 진지한 표정을 지었다.

"이제 어쩔 거야?"

"당장 머스터드를 찾기 위해 모험을 떠나야 해. 머스터드 없는 핫도그는 앙코 없는 찐빵이야. 핫도그 없는 세상을 상상하기 싫어!"

마초가 소리를 지르며 벌떡 자리에서 일어났다.

"알겠어. 당장 가자. 그런데 어디로 가?"

퐁퐁이가 머리를 긁적이며 물었다.

"밀가루 사막으로 가보는 게 어때? 그곳은 잘 알려져 있지 않잖아. 그곳에는 단서가 있을지도 몰라."

마초가 가만히 생각을 하고는 결심한 듯 말했다.

"괜찮은 생각이야. 짐을 정리하는 대로 바로 가자."

그 둘은 물과 빵을 들고 밀가루 사막으로 떠났다.

쪽잠을 자면서 온종일 걸은 지 일주일째였다. 갑자기 땅속이 꺼지는 듯하더니, 거대한 소용돌이에 마초가 휘말려 빠졌다.

퐁퐁이가 다급하게 소리쳤다.

"마초, 너 소용돌이에 빠졌어!"

마초는 전혀 상황을 알지 못한 채 느긋했다.

"농담하지 마. 허허!"

"농담 아니야! 밑을 봐!"

밀가루 가루가 마초의 몸을 감싸고 있었다. 점점 몸이 바닥으로 꺼져가고 있었다.

"아악, 퐁퐁아, 너와 함께 해서 이억년 동안 정말 즐거웠어. 너는 나의 유일한 친구였고, 가장 소중한 친구였어. 너와 작별해야 한다니 정말 슬퍼. 하늘나라에 가서도 너를 지켜보고 있을게. 꼭 머스터드를 다시 찾고 내 걱정 말고 행복하게……."

갑자기 땅속에서 무언가 솟아나서 마초를 들어 올렸다.

"퐁퐁아, 내가 날고 있어!"

"마초야, 밑을 봐!"

마초가 아래를 내려다보곤 깜짝 놀라 소리를 질렀다.

"누구세요?"

그 무언가는 하얀 밀가루로 뒤덮여 있었고 사람과 비슷한 형상을 하고 있었다. 그 정체불명의 생명체와 함께 밀가루 소용돌이를 빠져나왔다.

마초가 거듭 고개를 숙이며 말했다.

"살려줘서 감사합니다. 혹시 누구세요?"

그때 그 생명체가 종이를 들고 매직으로 적었다.

나는 밀가루맨이야. 나는 말을 못해. 그래서 종이에 할 말을 적은 거야.

퐁퐁이는 가만히 밀가루맨을 바라보았다.

"실례지만……. 혹시 이 사막을 나갈 방법을 알고 있나요?"

밀가루맨이 고개를 끄덕였다. 밀가루맨이 종이에 글을 썼다.

내가 지름길을 알려줄게. 이 길을 따라 쭈욱 이틀간
멈추지 말고 걸어. 그러면 사막에서 나갈 수 있어.

 지름길을 통해 이틀간 걸어 밀가루 사막을 빠져나왔
다. 퐁퐁와 마초가 밀가루맨에게 작별 인사를 하려던
찰나 밀가루맨이 종이에 급하게 글을 써서 보여주었다.

나도 같이 가게 해줘.

 "정말요?"
 밀가루 맨이 퐁퐁이와 마초를 보며 고개를 끄덕였다.
잠시 생각에 잠긴 마초가 결심한 듯 말했다.
 "네, 그럼 같이 가요!"
 밀가루 사막을 벗어나자 울창한 숲이 있었다. 마초가
코를 킁킁거리며 기분 좋은 표정을 지었다.
 "우와, 공기 좋다! 우리 여기서 조금만 쉬었다 가자."
 하지만 퐁퐁이가 말했다.
 "안 돼. 우린 빨리 머스터드를 찾아야 한단 말이야."
 마초가 포기한 듯 다시 걸었다.

"알겠어."

그렇게 셋이서 터벅터벅 걷다가 숲속 한가운데에 전단
지가 있는 것을 보았다. 전단지가 최근에 인쇄된 것 같
이 깔끔했다. 퐁퐁이가 의아한 듯이 말했다.

"어? 겨자맨의 공장? 게다가 머스터드를 판다고?"

계속 의심스러운 표정을 지으며 전단지를 꼼꼼하게 살
펴보았다.

"머스터드를 판다니! 조금 수상한데?"

마초가 맞장구쳤다.

"맞아, 이상하지만……. 이건 기회야."

마초는 단서를 찾아서 기쁜지 폴짝폴짝 뛰어다녔다.

"허허, 허허."

그러다가 나무뿌리에 걸려 넘어졌다.

"으악!"

땅바닥에 넘어진 마초의 눈에 이상한 것이 보였다.

"퐁퐁아! 여기 대왕 똥파리가 있어!"

퐁퐁이가 호들갑을 떨면서 고개를 이리저리 돌렸다.

"대왕 똥파리가 있다고?"

마초가 똥파리에게 조심스럽게 말을 건넸다.

"누구세요?"

똥파리가 놀란 듯 뒤를 돌아보았다.

"넌 뭐야?"

그때 퐁퐁이가 나타나 말했다.

"똥파리님, 혹시 이름이 어떻게 되세요? 그리고 이 버섯들은 대체 뭐예요?"

"내 이름은 독버섯맨이야. 그리고 이 버섯들은 내가 야생동물을 골탕 먹이기 위해 만든 독버섯들이야. 쿠헤헤!"

퐁퐁이가 독버섯맨에게 전단지를 보여주었다.

"혹시 이 공장을 알아요?"

"음, 하늘이 훤히 보이고 가로수들로 둘러싸여 있으며 넓은 연못이 있는 곳이라……. 여기 알 것 같아! 내가 알려줄게. 지금 딱히 할 것도 없었거든."

퐁퐁이는 머스터드를 찾을 생각에 기분이 들떴다.

"야호, 정말 고마워요."

"뭘, 그 정도 가지고."

그렇게 독버섯맨을 따라가며 이런저런 이야기를 나누며 시간 가는 줄 몰랐다. 쉬지 않고 걸은 지 이틀이 되었을 때, 공장에 도착했다.

퐁퐁이가 칙칙한 회색 건물을 바라보았다.

"여기예요?"

독버섯맨이 고개를 끄덕였다.

"맞는 것 같아. 그런데 뭔가 불길한 느낌이 드네. 괴상하게 생긴 건물이군."

하지만 퐁퐁이는 머스터드가 너무 그리웠기 때문에 들어갈 수밖에 없었다.

"퐁퐁아, 문이 없는데?"

마초의 한마디가 정적을 깼다. 퐁퐁이가 당황하며 말

했다.

"뭐라고? 그럼 되돌아가야 하는 거야?"

퐁퐁이의 얼굴이 죽상이 되었다. 마초가 갑자기 벌떡
일어났다.

"퐁퐁아, 내게 방법이 있어."

그러고는 갑자기 벽을 내리쳤다. 그러자 갑자기 공장
의 벽이 부서져 문이 생겼다.

"마초야, 너 정말 대단하다!"

"허허, 별거 아니야."

그렇게 공장 문을 지나 한걸음 내디딘 순간 독버섯맨
이 큰소리로 말했다.

"퐁퐁아! 고개 숙여!"

퐁퐁이가 깜짝 놀라서 얼른 고개를 숙였다. 그러자 화
살이 퐁퐁이의 모자를 횡횡 스쳤다.

"뭐야?"

"퐁퐁아, 밑을 봐. 네가 발판을 밟았어!"

퐁퐁이가 밑을 보고 화들짝 놀라며 말했다.

"진짜네? 그러면 이건 발판 함정인 것 같아. 밑을 보
면서 천천히 걸어가자."

그렇게 퐁퐁이와 친구들은 마치 거북이처럼 느릿느릿
바닥만 보며 걸었다. 그때 퐁퐁이가 무언가를 발견했다.

"얘들아, 저길 봐! 저기 안전 구역이라고 쓰여 있어!"

독버섯맨이 잠시 걸음을 멈추었다.

"그럼 저기 안에 들어가면 함정이 없는 건가?"

퐁퐁이가 신이 나서 잽싸게 달려갔다.

"드디어 안전 구역이다!"

그때 퐁퐁이가 함정에 빠지고 말았다.

그 순간, 퐁퐁이에게 화살이 매섭게 날아왔다. 퐁퐁이

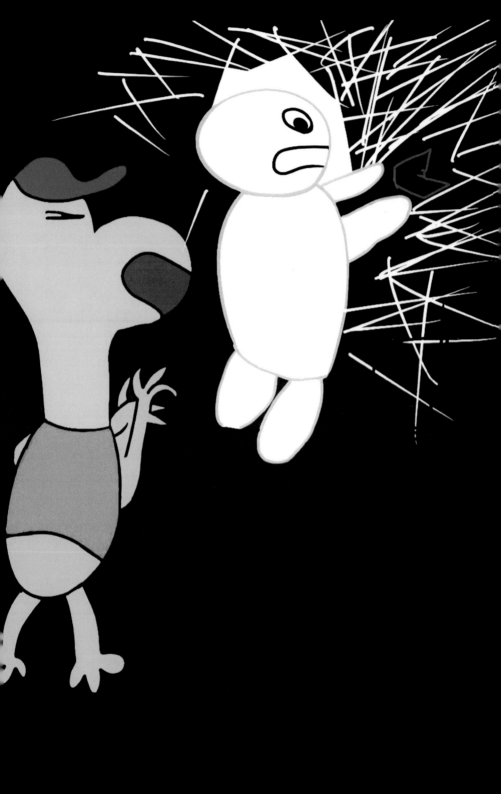

가 눈을 질끈 감았다. 마초가 외쳤다.

"안 돼!"

퐁퐁이의 앞으로 밀가루맨이 순식간에 달려왔다. 그 순간 화살을 대신 맞은 밀가루맨의 몸이 가루로 변해 흩어졌다. 퐁퐁이가 감았던 눈을 떴다. 퐁퐁이의 눈에 가루가 된 밀가루맨이 보였다.

"안 돼! 밀가루맨!"

퐁퐁이가 눈물을 뚝뚝 흘렸다. 그때 밀가루맨의 가루가 바닥에 글씨를 만들었다.

나는 다른 사막에서 다시 생겨날 거야. 걱정하지 마. 너희는 얼른 머스터드를 찾아. 함께해서 정말 즐거웠어.

독버섯맨이 글씨를 하나씩 읽으며 말했다.

"그래도 다른 곳에서 태어난다니……. 죽지는 않아서 다행이군!"

퐁퐁이는 지금 밀가루맨을 볼 수 없다는 생각에 슬펐다.

"안전 구역으로 들어가자."

어두운 길을 따라 한창을 걸어갔더니, 머스터드맨이 감옥에 갇혀있었다. 퐁퐁이가 놀라서 외쳤다.

"머스터드? 대체 왜 이곳에 갇혀 있어요?"

"나도 모르겠어. 겨자맨이 나를 이용하여 머스터드 시장을 독점하겠다고 한 것을 들었어. 나를 좀 꺼내줄 수 있니?"

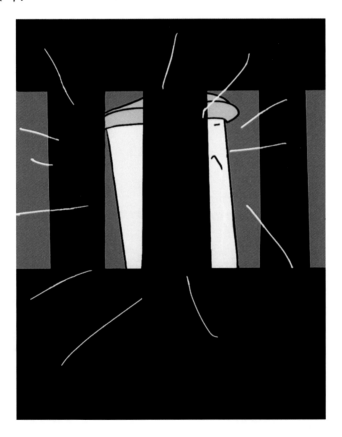

마초가 앞으로 성큼성큼 나와서 주먹으로 감옥을 쳤다. 와장창! 감옥의 창살이 부서지며 큰 소리가 났다.

"이제 빨리 탈출해요!"

그때 어디선가 목소리가 들렸다. 마초의 뒤에는 전단지에서 본 겨자맨이 서 있었다.

"너네는 탈출할 수 없어! 당장 감옥에 들어가! 그렇지 않으면 내가 음……. 내가 어떻게 하지?"

겨자맨이 머뭇거릴 때 마초가 겨자맨을 세게 때렸다. 겨자맨이 입에 거품을 물며 쓰러졌다. 그때 머스터드맨이 빠르게 겨자맨을 밧줄로 묶었다.

"구해줘서 고마워. 다시 머스터드를 만들 수 있어."

퐁퐁이가 좋은 생각이 난 듯 미소를 지었다.

"그러면 겨자맨을 이용해 이 공장을 겨자 공장으로 바꿔보는 것이 어때요?"

"좋은 아이디어야! 머스터드도 팔고 겨자도 팔면 수익은 두 배가 되겠지?"

머스터드맨은 당장 실행하기로 마음먹었다.

퐁퐁이는 맛있는 머스터드를 먹을 수 있는 생각에 기분이 좋아졌다. 마음 편히 주변 자연환경을 즐기며 며칠간 캠핑을 즐겼다. 퐁퐁이와 마초는 마을로 떠나기 전 독버섯맨과 이별 인사를 하였다.

"독버섯맨, 도와주셔서 감사합니다. 다음에 기회가 되면 다시 만나요!"

"그래, 나를 보고 싶을 때는 숲으로 와. 쿠헤헤."

"네!"

퐁퐁이가 밝게 미소 지었다. 꼭 다시 숲으로 가서 독버섯맨과 놀고 싶었다.

"마초야, 빨리 가자. 핫도그를 먹고 싶어!"

"그래, 어서 가자!"

그 두 명은 머스터드가 있을 마트를 생각하며 마을로 뛰어갔다.

제3화

마법의 물약

마법의 물약

김다인, 송하율
장재민, 전우영, 최윤서

소설 『물약』은 아픈 어머니를 구하기 위해 물약을 찾아 신비로운 모험을 떠나는 이야기이다. 베스트셀러에 등재될 만큼 유명하고 재미있다. 『물약』이 게임으로 나왔다는 소식을 듣고 연희는 바로 게임을 하고 싶었다.

연희의 생일날, 엄마가 생일 선물로 갖고 싶었던 게임을 사주었다. 연희는 시간 가는 줄도 모르고 즐겁게 게임을 했다. 연희의 생일이 일주일이 지나고 연희는 오늘도 게임을 하려고 게임기를 켰다.

"쨍그랑!"

부엌에서 접시가 깨지는 소리가 났다. 연희는 깜짝 놀

라며 부엌으로 달려갔다. 그곳에는 설거지를 하시다가
쓰러진 엄마가 있었다.

 그날 이후, 엄마의 몸 상태는 급격히 안 좋아졌다. 연
희는 걱정스러운 마음에 한동안 게임을 하지 않았다.

 '게임 속에 들어가서 물약을 얻은 다음 엄마에게 드리
면 좋을 텐데……."

 연희는 아픈 엄마를 보며 생각에 잠겼다. 그 순간 게
임기에서 빛이 나왔다.

 "앗! 뭐지?"

연희는 궁금증을 참지 못하고 신비로운 빛에 다가갔다. 손끝이 빛에 닿았을 때였다.

"어! 으, 으악!"

연희는 무지갯빛과 함께 게임기 속으로 들어가 버렸다.

"어! 뭐지?"

연희는 눈을 뜨고 주위를 한번 둘러보았다. 작은 오두막, 따뜻한 햇볕, 그와 반대로 어두운 집안이 보였다. 자신이 플레이하던 게임의 시작 배경이었다.

"콜록! 콜록!"

뒤에서 기침 소리가 들려서 보니, 엄마가 누워 있었다.

"엄마!"

연희는 바로 달려가 엄마 옆에 앉았다.

'엄마는 여기서도 아프구나. 아니지, 여긴 게임 속이니까 게임 속의 엄마인가?'

"연희야."

가만히 누워 계시던 엄마가 힘겹게 말을 걸었다.

"연희야, 저 멀리 어딘가에……. 어떤 병이든 치료할 수 있는 물약이 있어. 그 물약을 먹으면 엄마는 낫는

대……. 그 약을 구하는 방법을 아는 사람이 있어. 그 사람을 찾을 수 있겠니?"

게임 속의 엄마는 가느다란 실눈을 살며시 뜨고 연희를 바라보았다.

"알겠어요. 엄마, 꼭 구해 올게요!"

연희는 소리치며 오두막을 나왔다.

'게임 속 모험을 떠나는 길과 똑같네. 빨리 가야겠다!'

싸움 연습을 하고 있는데 어딘가에서 부스럭거리는 소리가 들렸다.

"뭐지?"

연희가 소리 나는 곳으로 가까이 갔다. 신비한 노란빛이 감싸는 그곳에는 다친 소녀가 있었다.

"괜찮아?"

연희는 황급히 달려가 물었다.

"응, 괜찮아. 넌 누구니?"

연희는 이 아이가 게임 속에서 주인공과 동행하는 친구인 걸 기억해 냈다. 연희는 더듬거리며 게임 대사를 말했다.

"어, 나는 엄마를 구하기 위해…… 모험을 떠나고 있

어. 같이…… 가지 않을래?"

"정말? 고마워! 나도 할머니를 구하기 위해 모험을 하는 중이거든! 아, 내 이름은 히리야!"

히리와의 대화가 끝나자 연희의 눈앞에는 신기한 창이 떴다. 그 창은 로그아웃을 뜻하며, 보름달이 뜨는 날에는 현실 세계로 갈 수 있다. 그리고 이곳에서 아무리 시간이 흘러도 현실 세계의 시간은 멈춰있다고 한다. 게임과 현실 세계 시간이 다른 것이 그나마 위안이 되었다.

이제 모험이 시작되었다.

연희는 히리에게 그 물약에 대해 물었다.

"히리야, 너는 무엇이든 낫게 할 수 있는 물약이 어디 있는지 아니?"

"어……. 아, 그래! 저 멀리 마녀의 성에 있어. 나도 거기 가는 길이었는데 같이 가자."

연희와 히리는 울창한 숲을 지나 물결이 거센 강을 건너게 되었다. 그래도 마녀의 성에 가면 물약을 찾을 거라는 희망 때문에 견딜 만하였다. 계속 길을 가던 중, 갑자기 비가 와서 주변에 보이는 오두막에 머물렀다.

'여기까지는 내가 플레이한 그대로구나. 그다음부터는 잘 모르니 조심해야겠어.'

연희는 이런저런 생각에 잠이 오지 않아 뒤척였다.

"쾅!"

연희와 히리는 큰 소리에 잠에서 깼다.

"으악! 이게 무슨 소리지?"

그 순간 파란 눈의 으르렁거리는 늑대들이 다가오고 있었다.

'이 늑대들은 마녀의 부하인가?'

연희는 이 늑대들이 마녀의 부하라고 짐작하고 히리와 함께 싸웠다. 하지만 머릿수에 밀리게 되었고 연희와 히리는 어쩔 수 없이 근처 창고로 피했다.

"헉, 헉, 늑대가 너무 많아."

"우리가 이길 수 있을까?"

히리는 마녀의 성에 가지 못할까 봐 걱정이 되었다.

"부스럭, 부스럭."

창고 안쪽에서 이상한 소리가 났다. 무언가 꿈틀거리는 소리 같았다. 까치발을 하며 조심스럽게 소리 나는 곳 가까이 가봤다. 그곳에는 한 아이가 있었다.

"너는 누구야?"

히리가 물었다.

"나는 도도야. 마녀의 성으로 가는 길에 마녀의 부하들에게 잡혀 있었어."

도도가 대답했다. 연희와 히리는 그 아이를 구출하기 위해 밧줄을 풀었다. 그러고는 용기를 내어 창고 밖으로 나왔다. 그동안 모아놓았던 공격 카드를 꺼냈다. 도도의 공격은 굉장했다. 마법으로 번개를 소환해 공격했다. 단거리 공격인 연희보다 훨씬 유리했다. 다 같이 힘

을 합쳐 마녀의 부하들을 쓰러트리니 눈앞에서 이상한
지도가 나왔다.

"이건, 마녀의 성으로 가는 지도야!"

도도가 지도를 유심히 살펴보더니 확신에 찬 듯이 말
했다.

"그럼 이걸 보고 가면 되겠다!"

연희와 히리, 도도는 지도를 보고 험난한 가시덤불, 메
마른 사막, 차가운 얼음 동굴을 지나…… 드디어 마녀
의 성에 도착했다.

"여기가 마녀의 성?"

마녀의 성은 엄청 높아서 끝이 보이지 않았다. 세 아이는 긴장하며 마녀의 성으로 들어갔다.

"마녀는 어디 있지?"

연희는 두리번거리며 말했다.

"헉! 저기!"

히리가 위를 보며 소리쳤다. 마녀는 천장 조명등에 살며시 앉아있었다.

"용케 여기까지 왔구나."

세 아이는 말을 할 새도 없이 마녀에게 공격당했다. 연희는 마녀에게 칼을 휘두르고, 히리는 연희가 잘 버틸 수 있게 도와주었다. 도도는 마법의 지팡이로 번개를 만들어 공격했다. 마녀는 생각보다 쉽게 쓰러질 것 같았다.

"물약은 할머니께 드릴 거야!"

마녀를 거의 쓰러트리기 직전에 히리가 소리쳤다.

"뭐? 나도 물약이 필요하다고!"

흥분한 도도가 히리를 공격했다.

"다들 진정해! 나도 물약이 필요하단 말이야!"

연희는 친구들을 진정시키려다가 오히려 싸움을 부추겨 버렸다. 그 틈을 노린 마녀는 세 친구를 한 번에 휘파람으로 성 밖으로 날려 버렸다.

"이럴 수가! 엄마는 어떻게 구해야지?"

"너 때문에 마녀에게 졌잖아!"

도도가 날카롭게 소리쳤다.

"뭐라고? 너도 제대로 안 했잖아!"

"치, 됐어. 나 혼자 마녀를 쓰러트리고 물약을 얻을 거야!"

연희는 친구들이 떠난 자리에서 큰소리쳤다. 연희는 혼자 마녀를 잡으러 갔다. 그렇지만 혼자선 역부족이었다. 다시 마녀의 휘파람에 튕겨 나가려는 그때였다.

"연희야!"

히리의 목소리가 들리며 연희 주변에 강력한 보호막이 생겼다.

"나도 있거든."

연희가 당황해하고 있을 때 도도가 말을 이었다. 세 아이는 다시 마녀에게 공격을 했다. 이전과 다르게 아이들은 힘을 합쳐 마녀를 쉽게 쓰러트렸다. 마녀를 쓰러트린 자리에 오묘한 빛을 내는 물약이 나타났다. 히리와 도도는 물약을 연희에게 주며 사과했다.

"미안해. 아까는 너무 흥분했어."

"나도 미안해. 가장 열심히 여기로 온 건 너희인데……."

연희는 눈물을 꾹 참으려고 고개를 위로 올렸다. 그 순간 연희는 환하게 떠 있는 보름달을 보았다.

"드디어 엄마를 구할 수 있어! 얼른 갈게!"

"꼭 엄마를 구해. 잘 가."

"으악! 드디어 돌아왔다."

연희는 게임 속으로 들어갈 때처럼 무지갯빛과 함께 게임 밖으로 나왔다.

"물약은…… 어디 있지?"

연희는 황급히 물약을 찾았지만 보이지 않았다. 연희가 절망하던 그때, 게임기에서 또다시 무지갯빛이 나왔다. 무지갯빛과 함께 나온 건 히리와 도도였다.

"얘들아, 어떻게 여기에 온 거야?"

"연희야, 여기 물약!"

히리의 손에는 영롱한 빛을 내는 물약이 있었다.

"아무것도 묻지 말고. 얼른!"

도도가 소리쳤다. 연희가 물약을 잡자 두 친구는 무지갯빛과 함께 사라졌다.

연희는 잠시 멍한 상태로 있다가 정신을 차렸다. 엄마에게 달려가서 물약을 주었다.

"엄마! 어서 마셔요!"

엄마는 연희가 주는 물약을 먹었고 점차 안색이 돌아오는 것 같았다.

"엄마!"

연희는 기운을 차리는 엄마에게 포옥 안겼다.

"연희야, 물약을 정말 찾았구나. 정말 고맙다. 앞으론 걱정시키지 않을게. 사랑해."

연희는 게임 메시지로 히리와 도도에게 마음을 전했다.

다음에는 너희들 편이 되어줄게. 같이 또 물약을 구하러 가자.

제4화

수상한 출입문

수상한 출입문

김주영, 손민우, 이예준, 이태훈

민기는 주말에 집에서 컴퓨터 게임을 하고 있었다. 방문에 엄마가 성큼성큼 다가왔다.

"야, 김민기! 너 하루 종일 게임할 거면 할아버지 보러 가자."

"싫어! 할아버지 집에 가면 와이파이도 안 되고 할 것도 없잖아."

민기가 투정 부렸다.

"너, 그럼 가지 마. 그 대신 엄마가 컴퓨터랑 핸드폰 압수한다."

민기는 가기 싫었지만 핸드폰을 빼앗기기 싫었기 때문

에 억지로 할아버지 집에 갈 준비를 했다. 30분 뒤 민기네 가족은 필요한 짐을 챙기고 차를 탔다. 민기의 할아버지 집은 거리가 먼 시골에 있었기 때문에 한참을 가야 했다.

차에서 지루하다고 여길 때쯤, 민기네 가족은 할아버지 집에 도착했다. 할아버지가 대문 앞으로 민기를 마중 나왔다.

민기는 뾰로통한 표정으로 할아버지를 무시하고 집 안으로 들어갔다. 민기의 부모님은 민기에게 과일을 사 오라고 했다. 하지만 민기는 심부름을 가기 귀찮았기 때문에 말을 무시했다.

"김민기, 너 빨리 안 가? 빨리 마트에 가서 과일 사와!"

민기 엄마가 화난 표정으로 다그쳤다. 민기는 짜증을 내며 마트로 향했다.

"할아버지 심부름을 왜 내가 해야 해? 맨날 혼자 앉아서 멍 때리고 있는 바보 할아버지 같아."

민기는 투덜거리며 과일을 사 들고 할아버지 집으로 돌아왔다.

하지만 아까는 보지 못했던 이상한 출입문이 있었다.
민기는 궁금증을 참지 못하고 출입문을 밀었다. 그 순
간, 강한 힘에 의해 어디론가 빨려 들어갔다.

"으아악."

처음 보는 낯선 장소가 보였다.

"아야, 어, 뭐야! 여기가 어디지? 엄마 아빠는 어디 갔지?"

"너 길을 잃었니?"

지나가던 아저씨가 민기에게 물었다. 민기는 놀라며 말했다.

"여기가 어디예요? 저희 엄마 아빠는요?"

"글쎄, 모르겠는데……. 지금은 해가 지고 있으니 오늘 밤은 아저씨 집에 가서 하룻밤을 머무르렴."

민기는 낯선 사람은 조심해야 한다는 어른들의 말이 떠올랐다. 그러나 한밤중에 엄마 아빠를 찾는 것은 무리인 것 같다고 생각했다. 잠시 고민했지만 아저씨 집에 가서 하룻밤을 머물기로 했다.

"네……."

민기는 아저씨를 따라 길을 걸었다. 그런데 그 아저씨의 집은 민기 할아버지의 집과 똑같이 생긴 것이다.

"어? 이상한데……."

민기는 비슷한 집이라고 생각하고 그 집에 들어갔다. 그 집안에는 어린아이 두 명, 아주머니 한 명이 있었다.

"이 아이가 길을 잃어 부모님을 못 찾은 것 같으니 오늘 우리 집에서 하룻밤을 머물기로 했다."

다음 날, 마을을 샅샅이 살펴보았지만 민기 부모님은 없었다. 사람들의 모습도, 마을 풍경도, 민기가 알고 있던 모습과 달랐다. 민기는 마을 전체를 돌아다녀도 부모님이 보이지 않아 이상하다고 생각했다. 이를 안타깝게 여긴 아저씨는 부모님을 찾을 때까지 여기에 머물러도 된다고 했다.

삼일이 지났다. 민기가 힘이 빠진 채 멍하니 거실에 앉아있을 때, 책장 위에 있던 가족사진을 발견했다. 그 사진은 민기네 할아버지 집에 있던 할아버지의 어린 시절과 같았다.

"어? 그러고 보니 이 사진에 있는 남자아이가 할아버지 어릴 적 모습과 똑같이 생겼는데?"

민기는 너무 이상해서 달력을 찾았다.

"1950년 6월 24일?"

민기는 그 이상한 출입문에 들어온 이후로 할아버지의 과거에 온 것을 깨닫게 되었다. 지금이 현실인지 꿈인지 헷갈릴 정도였다. 밤에 이런저런 생각에 잠이 안 와

서 뒤척일 때였다.

"펑퍼어퍼어퍼어퍼엉."

갑자기 밖에서 폭탄 소리가 들렸다.

"어 뭐지?"

민기가 깜짝 놀라 소리쳤다. 갑자기 민기는 사회 시간에 배운 6·25 전쟁이 생각났다.

"설마……. 오늘 며칠이지?"

민기는 다시 달력을 유심히 보았다. 1950년 6월 25일이었다.

"빨리 대피해야 돼요. 전쟁이 일어났어요!"

민기가 큰 소리로 말했다.

마을 사람들은 민기의 말을 믿지 않았다. 한 아저씨는 어이없는 목소리로 말했다.

"뭐라고? 전쟁이 왜 갑자기 일어나니?"

멀리서 다시 폭탄 소리가 들렸다.

"퍼어어어어어어엉."

전쟁은 끝날 기미가 보이지 않았다. 민기는 지금 있는 지역이 북한임을 알 수 있었다. 민기네 가족과 전쟁의

두려움 속에 살고 있을 때였다. 일주일이 지난 것 같은데 벌써 겨울이었다. 차가운 바람이 몰아치는 12월에 남한으로 탈출할 수 있는 방법이 생겼다. 미군들이 배를 타고 철수한다는 소식에 많은 피난민들이 모여들었다.

"우리도 빨리 항구에 가서 배를 타고 부산으로 대피합시다."

한 아저씨가 큰 목소리로 말했다. 말을 듣자마자 마을 사람들은 짐을 챙기고 항구로 갈 준비를 했다. 민기와 아저씨의 가족들도 떠날 준비를 마치고 항구로 걸어가기 시작했다. 아저씨의 아들과 나란히 걷게 되었다.

"안녕, 나는 김종철이야. 너의 이름은 뭐야?"

이 말을 듣자 민기는 이 아이가 할아버지라는 것을 확신했다. 할아버지의 어린 모습을 보게 되니 신기할 따름이었다.

"어, 나는 김민기야."

"우리 친하게 지내자!"

종철이가 환한 미소를 지었다.

"그래, 좋아!"

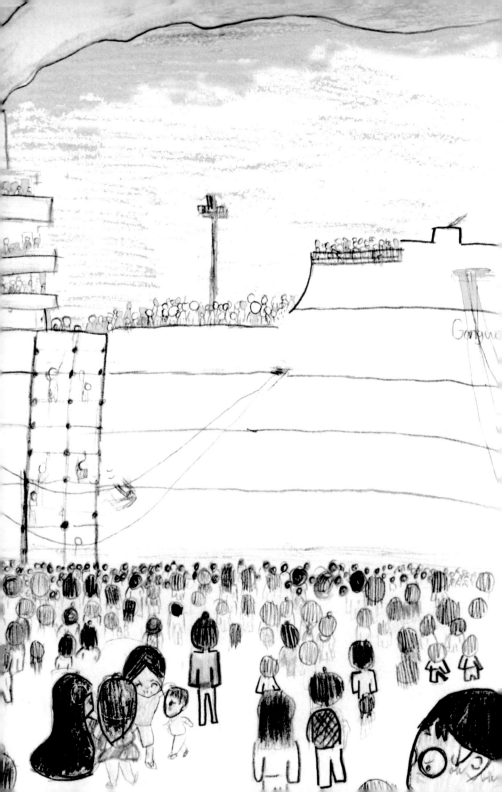

어느새 항구에 도착했다. 항구는 사람들로 가득 차 있었다.

"어, 배에 타야 하는데……."

아저씨가 한숨을 쉬며 가족을 바라보았다.

군인들이 배에는 많은 군수품이 있다고 말했다. 사람들이 포기하고 좌절하고 있는 순간, 갑자기 배에서 많은 무기들이 나오고 있었다. 그리고 사람들이 배에 타기 시작했다. 종철이네 가족과 민기는 배에 올라탔다. 그런데 종철이의 어머니와 누나가 사람들에게 밀려 배에 탑승하지 못했다. 사람이 꽉 찬 배는 출항 신호를 보냈다. 끝내 종철이의 어머니와 누나가 배에 타지 못하고 항구에 남았다.

"어머니! 누나!"

종철이가 울부짖었다.

배가 출발하고 곧이어 폭탄으로 인해 항구가 무너지기 시작했다. 사람들은 북한군이 오지 못하게 터트린 것이라고 했다. 종철이와 아저씨는 슬픔에 빠져 한동안 말을 하지 않았다.

"종철아, 괜찮아?"

민기가 걱정스러운 목소리로 말했다.

"흐어어어엉, 어머니, 누나……."

종철이가 민기의 품에 안겨 울었다. 민기는 옛날에 할아버지가 이러한 일을 겪었다는 게 너무 안쓰러웠다. 할아버지에게 했던 철없는 행동이 떠올라 미안했다. 종철이는 계속 울다가 아버지 품에서 잠들었다.

배는 부산에 도착했지만 하선이 거부되어 거제도로 향했다. 거제도에 도착한 후, 사람들은 배 밖으로 나가기 시작했다. 민기는 종철이, 아저씨와 함께 배에서 내렸다.

민기는 새로운 장소로 왔다는 안도감이 들었다. 하지만 종철이와 아저씨는 혼이 빠진 표정으로 곧 쓰러질 것만 같았다. 힘없이 공허하게 앞만 바라볼 뿐이었다.

민기는 종철이를 보면서 할아버지가 우울증에 걸린 이유를 알게 되었다.

'할아버지가 과거에 겪었던 사건 때문에 트라우마가 생겼구나. 지금까지 할아버지에게 잘못 행동한 게 마음에 걸리네. 할아버지께 죄송하다고 말씀드려야겠어.'

민기가 혼잣말로 중얼거렸다. 어느새 해가 지고 민기는 종철이, 아저씨와 함께 종철이의 할머니 집에 가서

잠을 잤다.

다음 날 아침, 민기는 일찍 일어나 먹을 게 있는지 찾으러 나갔다. 종철이의 할머니 집으로 돌아온 민기는 나갈 때는 보지 못했던 문을 발견했다.

"어? 지난번에 할아버지 집에서 봤던 문인데……?"

민기가 놀란 목소리로 말했다.

"혹시 여기 들어가면 다시 할아버지 집으로 돌아갈 수 있나?"

민기는 다시 집에 갈 수 있을 거라는 희망을 가지고 그 문으로 한발씩 들어갔다.

"와아악!"

민기가 문 안으로 빨려 들어가고 '쿵' 소리를 내며 어디론가 떨어졌다.

"아이쿠, 아파라."

"민기야, 이제 집에 가자."

집 안에서 그리운 목소리가 들렸다.

"어? 엄마?"

민기가 놀란 목소리로 말했다.

"엄마, 아빠, 할아버지!"

민기가 기쁜 목소리로 말하고 부모님의 품으로 달려들었다.

"어머, 얘가 왜 이래?"

민기 엄마가 짐짓 놀라면서도 민기를 따뜻하게 안아주었다.

"그리고……. 할아버지, 제가 할아버지를 무시하고 대들어서 죄송해요. 제발 용서해 주세요."

민기가 울먹이는 목소리로 말했다.

"괜찮아, 할아버지도 어릴 때, 다 그랬어."

민기와 할아버지는 마주 보며 서로 미소를 지으며 웃었다. 마당에 핀 들꽃도 바람에 살랑살랑 흔들리며 미소를 짓는 듯했다.

제5화

신비로운 공책

신비로운 공책

김채현, 변성원, 추지영, 최형준

새 학기 전날, 세아는 학용품이 필요했다.

'아, 학용품 사야 하는데……. 돈이 별로 없어. 어떡하지? 어! 저기 학용품 할인점이 있다. 저기서 사야지.'

세아는 씩씩하게 인사를 하며 가게로 들어갔다.

"안녕하세요. 공책 사러 왔어요. 공책은 얼마예요?"

문방구 할아버지는 머뭇거리며 말했다.

"그게……. 가격은 반값 할인을 하고 있단다. 그런데 공책은 한 종류만 있단다. 그래도 살래?"

반값 할인이라는 말에 세아는 흔쾌히 대답했다.

"네! 살게요!"

"알겠다. 단, 조건이 있단다. 하루에 열 줄 이상 글을 써야 해. 쓰지 않으면 공책이 사라져. 하지만 열 줄 이상 쓰면 한 달에 한 번 원하는 소원이 이루어져. 돈이나 집, 자동차 등 물질적인 소원은 부담스럽단다."

글쓰기를 싫어하는 세아는 하루 열 줄 이상 글을 쓰라는 말이 부담되었다.

'뭔 이런 공책이 다 있어?'

"그래서 살 거니?"

잠시 생각에 잠긴 세아는 머뭇거렸다.

"음, 살게요. 얼마인가요?"

문방구 할아버지는 손바닥을 딱 치며 미소를 지었다.

"공짜."

"엥? 공책이 공짜에요?"

"그래, 공짜란다. 단, 공책을 소중하게 사용해. 그럼 잘 가라."

새 학기 첫날, 세아는 설레는 마음으로 교실에 들어갔다. 들어가자마자 친한 친구들인 현지, 지원, 그리고 사이가 조금 서먹한 유리가 있었다.

세아가 밝은 미소로 친구들을 바라보았다.

"안녕?"

안경을 쓰어 올리며 현지가 말했다.

"세아야, 안녕! 우리 이번에 같은 반이네! 잘 지내보자!"

"그래."

쉬는 시간에 세아는 신비로운 공책을 펼쳤다. 그리고 소소한 일상 이야기를 열 줄 이상 썼다. 하지만 공책에 글을 한번 쓰면 신기하게도 마법 같은 끌림으로 멈출 수가 없었다. 공책에 글을 계속 썼기 때문에 친구들과 같이 놀지 못했다.

어느 날, 유리는 매일 놀지 못하는 세아에게 실망하여 세아에 대한 이상한 소문을 퍼뜨렸다. 세아가 공책을 사용한 지 29일째, 등굣길에 아이들이 수군거리기 시작했다.

"쟤, 학교폭력 한 애 맞지?"

'뭐지?'

세아는 왠지 아이들이 자기를 쳐다보는 것 같았다. 싸늘한 느낌이 들었다. 묘한 분위기를 느낀 채 교실로 들어갔다.

"안녕?"

세아의 인사를 현지만 받아주었다. 자리에 앉아 신비로운 공책을 꺼내려는 순간, 현지가 작은 목소리로 말했다.

"세아야, 너…… 소문 들었어?"

그러자 주변을 이리저리 살피던 지원이가 말했다.

"그 소문은 유리가 퍼뜨린 것 같은데……."

무슨 소문인지 도통 모르는 세아는 당황했다. 지원 말로는 세아가 친구들의 단점이나 험담을 SNS에 올린다고 한다. 친구들의 사진을 합성해서 인터넷에 올리고, 이런 사진들로 협박을 한다는 것이었다.

"엇? 뭐라고? 누가 그런 말을 지어낸 거야?"

세아는 눈물을 글썽이기 시작했다. 갑자기 눈물이 마구 쏟아질 것 같았다.

"알았어, 잠깐 화장실 다녀올게."

세아가 화장실 가는 걸 목격한 유리는 세아의 신비로운 공책을 몰래 가방에서 꺼냈다. 그러곤 갈기갈기 찢었다. 종잇조각은 아주 작은 점이 되더니 어느 순간 공

중에서 사라졌다. 그런데 신기하게도 공책 뒷장은 찢어
지지 않았다. 유리는 쓰레기통에 공책 뒷장을 구겨 넣
었다.

 화장실에 다녀온 세아는 공책이 사라진 것을 알게 되
었다.

 '어? 공책이 여기 있었는데…… 도대체 어디 간 거
지?'

 세아는 당황한 표정을 지었다.

 "현지야, 지원아, 내 공책 어디에 있는지 알아?"

 지원이가 눈을 끔벅이며 말했다.

 "나는 잘 모르겠어."

 현지가 세아의 눈치를 살피며 소곤거렸다.

 "아까 네가 화장실에 갈 때 유리가 공책을 들고 있었
어."

 "그럼 유리한테 물어보자."

 세아와 현지, 지원이는 창가 근처에 앉아있는 유리에
게 갔다.

 "유리야! 혹시 내 공책 봤니?"

 "무슨 공책? 못 봤어. 너 공책 잃어버렸어?"

유리가 시미치를 뗐다.

"응, 잃어버린 거 같은데⋯⋯. 혹시 내 공책 못 봤어?"

"못 봤는데."

"아, 그래. 알겠어."

학교 수업이 마친 후, 세아는 교실에 남아 공책을 찾고 있었다.

'내 공책 어디 있지? 아, 몰라. 그냥 집에 가야지.'

집에 가는 중에 세아는 문방구 할아버지를 만났다.

"할아버지, 안녕하세요. 한 달 전에 이 문방구에서 공책을 샀는데 잃어버렸어요."

잠시 생각에 잠긴 할아버지가 세아를 바라보았다.

"공책은 소중히 사용해야 하는데⋯⋯. 소원을 얻을 기회를 잃었구나. 어쩌지, 공책은 어디선가 너를 기다리고 있을 거야. 다시 찾아보렴."

'아, 맞다! 한 달에 한 번 소원을 이루어지는 공책이었지! 내일 다시 학교에 가서 찾아봐야겠다.'

"할아버지, 공책 꼭 찾을게요. 안녕히 계세요."

"그래, 안녕. 잘 가라."

다음 날, 학교에 빨리 도착한 세아는 교실을 샅샅이 살펴보았다. 공책을 찾아 자신에 대한 거짓 소문을 없애고 친구들과 다시 사이좋게 지내고 싶었다. 그런데 아무리 찾아도 공책은 보이지 않았다. 온종일 세아의 이런 모습을 지켜본 유리는 마음이 편치 않았다.

"세아야, 너 아직도 공책 못 찾았어?"

"유리야, 그래……. 아, 진짜 내 공책 어디에 있지?"

더 이상 거짓말을 할 수 없었던 유리는 솔직해지기로 했다.

"응, 세아야, 사실 내가 네 공책 찢어 버렸어. 정말 미안해. 너랑 같이 놀고 싶었는데……. 자꾸 네가 우리랑 놀지 않고 공책에 글만 써서 화가 났어. 그래서 공책을 찢은 거야. 정말 미안해."

가만히 듣고 있던 세아는 기분이 나빴지만 진정하기로 했다.

"그럼 공책은 다 찢어서 없는 거야?"

"아니, 공책 뒷장은 찢기지 않아서 한쪽에 숨겨놨어. 내가 같이 공책을 찾아줄게. 미안해."

"조금이라도 남아 있다니 다행이야. 괜찮아."

세아는 공책을 찾으러 학교 쓰레기장으로 갔다.

"어! 여기에 있다. 다 찢어져 있네……. 어, 뭐지?"

공책 뒷장을 보니 이상한 글씨가 있었다. 세아가 하나
씩 읽기 시작했다.

"MYSTERIOUS NOTEBOOK?"

갑자기 공책에서 빛이 나기 시작하였다. 세아는 너무 놀라서 소리를 지를 뻔했다.

"어! 뭐야? 공책이 다시 붙여지고 있어."

빛이 사라지고 공책이 원래의 모습이 되었다.

"어, 공책이 다시 만들어 붙여졌어. 내가 적었던 글과 그림이 전부다…… 너무 신기해."

맨 뒷장에 'MYSTERIOUS NOTEBOOK'이라는 글자가 사라지고 소원을 적으라는 글이 있었다.

'어, 소원을 적으라고? 문방구 할아버지가 말한 게 이 소원이구나.'

"세아야, 무슨 소원 적을 거야?"

"그러게……. 뭐 적지……?"

잠시 후, 세아는 공책에 소원을 적었다.

우리 우정이 깨지지 않고 영원하게 해주세요.

다음 날, 세아와 유리는 같이 등교를 했다.

"얘들아 안녕?"

"어, 안녕! 세아야, 유리야."

"뭐야? 둘이 같이 등교하네? 언제 또 사이가 좋아진 거야?"

저 뒤에서 걸어오는 현지와 지원이가 소리쳤다.

"같이 학교 가자!"

세아는 그 어느 때보다 즐거운 등굣길이 되었다.

학교 수업이 끝난 후, 세아 옆에는 친구들이 모여들었다.

'공책도 있고 소원도 이루어졌네. 너무 좋다.'

"유리야, 현지야, 지원아! 우리 운동장에서 잠시 뛰어
놀자."

"그래! 같이 놀자! 뭐 하고 놀까?"

"뭐든 함께 하면 재미있지 않을까?"

"그래! 놀이터로 가자!"

친구들은 재잘재잘 이야기하며 학교 운동장으로 발걸
음을 재촉했다. 총총거리는 발걸음은 가볍고 신이 났다.

제6화

비밀의 문구

비밀의 문구

김가영, 김도균, 이형우, 조서진

도영이는 거실 책장 한편에서 낡은 일기장을 발견하였다.

"아빠, 이게 뭐야?"

"아, 그거. 아빠의 어릴 적 일기야."

도영이는 일기장이 궁금하여 학교에 가기 전까지 일기장을 읽어 보았다. 첫 페이지에는 '비밀의 문구'라는 제목이 적혀 있었다. 어떤 내용인지 궁금하여 처음부터 끝까지 모두 읽어 보았다. 아빠가 겪은 신기한 사건이었다.

"도영아, 학교 갈 시간이야."

도영이는 학교에 갈 준비를 허겁지겁했다. 집 앞에서 형진이와 만나 같이 학교로 갔다. 걸어가는 동안 도영이는 형진이에게 아빠의 일기장 이야기를 해주었다.

"우리 아빠 옛날 일기장을 읽어봤는데……. 신기한 연필을 사고 성적이 올랐대."

형진이가 대답했다.

"그게 무슨 말이야?"

"비밀의 문구가 있었대. 학교 수업 마치고 같이 그 문구점에 가볼래?"

"그래."

학교가 끝난 후, 도영이와 형진이는 아빠의 일기장에 나온 위치를 생각하며 문구점을 찾으러 갔다. 지금은 과거와 달리 길과 건물이 바뀌었지만 큰 느티나무가 있는 장소임은 틀림이 없었다. 좌우를 살피던 형진이가 말했다.

"그 문구점이 30년이 지났는데 아직도 있겠어?"

도영이는 확신할 수 없었기에 힘없이 대답했다.

"그러게."

그런데 문구점이 있다는 곳에 도착해보니, 신기하게도

진짜 있었다. 비밀의 문구라는 작은 간판이 남아 있는데, 문은 굳게 닫혀 있었다.

도영이는 문구점 문이 닫혀 있어서 아쉬웠다. 내일 다시 이 장소에 오고 싶었다.

"어? 문구점 문이 닫혀 있네. 우리 내일 같이 올래?"

"나 학원에 가야 하는데⋯⋯. 내가 시간이 되면 같이 가자. 미안해."

"아, 그래. 그럼 어쩔 수 없지. 나 혼자 갈게."

"고마워. 시간 되면 말해줄게."

도영이는 다음 날도 혼자 문구점에 갔다. 여전히 문이 닫혀 있어서 이제 가게 문을 열지 않는지 궁금했다. 그러나 창가로 보이는 내부 진열장은 깔끔하게 정리된 게 수상했다.

형진이는 도영이가 말해준 비밀의 문구가 계속 생각이 났다. 학교 수업을 마치고 형진이는 얼른 문구점으로 갔다. 오늘은 제발 문이 열리기를 바라며 뛰었다. 형진이의 마음이 통했는지 문은 활짝 열려 있었다.

형진이는 떨리는 마음으로 문구점 문을 열었다. 학용품이 종류별로 진열되어 있었다. 진열장에는 한 개의

학용품만 놓여 있었다. 학용품에는 가격이 아닌 기능이 적혀 있었다. 이 문구점은 무언가 특별한 것 같았다. 형진이의 눈에 띈 학용품이 있었다. 그 물건은 바로 '연필'이었다.

이 연필은 똑똑해지고 싶은 소원을 이루어줍니다.

문구점 주인은 형진에게 말을 걸었다.
"혹시 뭐 찾는 게 있나요?"
"연필이 필요해요. 이건 얼마예요?"
"연필은 만 원입니다."
"왜 이렇게 비싸요?"
"특별한 기능이 있으므로 결코 비싸지 않지요."
형진이는 어색한 미소를 지으며 연필을 샀다. 도영에게는 문구점에 혼자 간 것도, 연필을 산 것도 말하지 않았다.

다음 날, 형진이는 문구점에서 산 연필을 사용하여 국어 단원평가를 봤다. 결과는 백 점이었다. 보통 문제를 네다섯 개 틀리곤 했는데 이번에는 신기하게도 문제가

술술 풀렸다.

　며칠 뒤, 수행평가가 있었다. 형진이는 수행평가를 보
며 또다시 백 점을 맞았다. 그래서 이 연필의 특별한
기능을 믿게 되었다.

도영이는 형진이가 새로운 연필을 쓴다는 것을 알게
되었다.

 "이 연필, 어디에서 샀어?"

 형진이는 사실대로 말하고 싶지 않았다. 혼자 비밀의
문구점에 간 것을 비밀로 하고 싶었다.

 "아, 이 연필? 이거…… 인터넷에서 샀어."

 도영이는 형진이의 말투가 수상했다. 분명 거짓말하는
게 틀림없었다. 시험기간이라 바빠서 비밀의 문구점에
가지 못했는데 다시 가보기로 하였다.

 문구점에서 신비의 연필을 꼭 살 거라는 기대감을 가
지고 힘차게 뛰어갔다. 굳게 닫혀있던 문구점 문이 활
짝 열려있었다. 도영이는 얼른 문구점에 들어가서 신비
한 연필을 샀다.

 그다음 날, 사회 단원평가를 쳤다. 사회를 잘 못하는
도영이는 문구점에서 산 연필을 쓴 후 좋은 점수를 받
았다. 형진이는 도영이의 사회 실력을 누구보다 잘 알
기 때문에 의심스러웠다. 원래 실력보다 성적이 잘 나
오니 도영이도 마음이 불편해졌다.

 도영이는 모든 사실을 털어 놓으려고 형진이를 불렀

다. 수업 마치고 빈 교실에서 연필에 대해 이야기를 했다. 도영이와 형진이는 혼자 비밀의 문구점에 간 것을 말하지 않았으므로 둘 사이에 묘한 분위기가 느껴졌다.

"형진아, 사실……. 내가 비밀의 문구점에 혼자 가서 신비한 연필을 샀어. 그리고 그 연필을 사용하고 성적이 올랐어."

"진짜? 성적이 올랐다고?"

"응, 네가 새 연필을 산 것을 보니까……. 왠지 수상했거든. 나도 비밀의 문구점에 가고 싶었어."

형진이의 솔직한 말을 듣고 나니 도영이도 사실대로 말했다.

"내가 원래 국어가 팔십 점을 못 넘겼는데, 신비한 연필을 사용하니 백 점씩 맞으니 신기했어."

"너도 그 문구점에서 샀어?"

"신비한 연필이 궁금해서 사봤는데 팔더라고."

"그래?"

"아니, 그건 그렇다 치고. 거기 문구점, 이상한 것 같아."

"그렇긴 한데……."

"일단 그 문구점으로 가자."

형진이는 도영이의 반 앞에서 기다리고 있었는데 하필 도영이가 청소당번이라 더 기다려야 한다고 했다. 마음이 조급한 형진이는 먼저 문구점에 가버리고 도영이는 급히 뒤따라갔다.

먼저 문구점에 도착한 형진이는 깜짝 놀랐다.

"어, 뭐지?"

일주일 전에 있던 문구점이 어느새 사라진 것이었다. 도영이가 헐레벌떡 뛰어오더니 당황해했다. 문구점이 사라진 순간 연필도 안개처럼 사라진 것을 집에 와서야 알게 되었다.

이십 년 뒤, 어른이 된 도영이는 방을 정리하고 있을 때, 어릴 적 일기장을 발견했다. 어떤 내용인지 궁금하여 읽었는데 '비밀의 문구'에 대한 이야기가 나왔다.

그걸 읽고 나서 잊고 있던 문구점에 대한 기억을 떠올렸다. 도영이는 비밀의 문구를 인터넷에 검색했다. 지도에 문구점 위치가 검색되는 것을 확인한 도영이는 형진이게 전화를 걸었다. 둘은 아직까지도 연락을 하는 사이였다.

"여보세요?"

"나 도영이야. 문구점 기억나?"

"무슨 문구점?"

"그 신비한 연필을 파는 곳 있잖아."

"어, 아직 기억하지."

"그럼 인터넷에 얼른 검색해 봐. 비밀의 문구."

"왜? 이게 뭐야?"

형진이는 그 사라진 문구점이 인터넷에 나오니까 깜짝 놀랐다.

도영이가 말했다.

"일단은 지금 만나서 얘기하자."

"알겠어."

도영이와 형진이는 인터넷 지도에 나와 있는 위치로 출발하였다. 낯선 장소에 고개를 갸웃거리며 형진이가 말했다.

"여기 맞아?"

"내가 찾은 인터넷 지도에는 여기가 맞아."

"일단 들어가 보자."

문구점은 매우 오래된 느낌이 들었지만 간판은 새것처럼 빛이 났다. 도영이와 형진이는 문구점 안으로 들어갔다. 도영이는 진열장을 살피며 연필이 있는지 확인하였다. 연필과 나란히 샤프가 진열된 것을 보았다. 촉이 좋은 형진이는 샤프를 유심히 바라보았다. 사실 연필과 같이 샤프도 특수한 능력이 있었다. 주인이 안 보여 샤프 값을 계산대에 두고 문구점에서 나왔다.

형진이는 샤프를 사게 되고, 모든 일이 잘 되는 대신 몸이 한 군데씩 멍이 들었다. 형진이는 이상한 점을 공책에 적고 도영에게 주었다.

샤프를 사용하면 바라는 일이 잘 된다.
대신 몸에 멍이 한 군데씩 늘어난다.
샤프 사용이 30회가 넘을 경우 병이 생긴다.

무언가 수상함을 느낀 도영이는 문구점 주인을 만나야 겠다고 생각했다.
"문구점 주인의 얼굴이나 확인하자."
"알겠어."
문구점에 도착하니, 다행히 문은 열려 있었다.
지난번에는 안 보이던 문구점 주인을 보게 되었다. 평범한 얼굴의 아저씨이지만 왠지 모르게 수상했다. 도영이는 문구점 주인을 살피며 물어보았다.
"저기, 혹시 이 문구점이 체인점인가요?"
"여기는 체인점이 아닌데요."
"혹시 다른 장소에서도 장사했나요?"

"아니요."

"네, 알겠습니다."

 도영이는 별다른 단서를 찾지 못하고 연필을 사서 돌아왔다. 과연 이 연필도 똑같은 능력이 있는지 궁금했다. 어려운 문제를 찾아 풀어 보았는데, 백 점을 맞았다. 분명 이건 수상했다. 다시 문구점으로 돌아가 유통업체가 어디냐고 물어보았다.

 "여기 연필을 만드는 장소가 어디예요?"

 "그건 알아서 뭐하려고 물어보는 겁니까?"

 "신기한 연필 제조과정이 궁금해서 답사하러 왔습니다."

 "흠, 문구점 뒤 창고에서 만듭니다."

 도영이는 그 말을 듣고 당장 문구점 뒤쪽으로 발걸음을 옮겼다. 거기는 낡은 공장이 있었다. 들어가 보니 어두컴컴해서 앞이 잘 보이지 않았다. 휴대폰 손전등을 켜니 일 미터인 상자가 수북하게 쌓여있는 게 보였다.

 갑자기 공장 문이 열리더니 누가 말하였다.

 "거기 누구요?"

 "미안합니다. 공장 안이 궁금했어요."

도영이는 변명을 하였다.

"뭐라고요? 여기 주인 있어요. 빨리 가쇼."

"그런데 혹시 이 상자는 무엇인가요?"

"알 필요 없어요."

그 순간 갑자기 전화가 울렸다.

"어, 형진아, 문구점 주인이 누구인지 찾았어. 다른 곳에 공장 주인이 있어. 유통 업체 중에 비밀의 연필 있지? 거기 유통하는 사람이 그 문구점 주인이야."

"유통 업체 직원이 누군데?"

"그 공장에 경비원이 있지? 그 사람이 연필을 유통하고 있어."

"뭐라고?"

갑자기 도영이의 전화가 뚝 끊겼다. 형진이는 당장 공장으로 뛰어갔다. 그 어두운 곳에는 도영이를 인질로 잡고 있는 경비원을 보았다.

형진이는 깜짝 놀라 소리쳤다.

"왜 이러는 거예요?"

"공장에 몰래 들어왔으면서. 가만히 있어!"

경비원은 험상궂은 표정으로 윽박질렀다.

"너희는 뭔데 내 사업을 망치려는 거야?"

"왜냐고요? 당신의 사업 때문에 우리 사회에 악영향을 끼치는 일이 벌어지고 있으니까요!"

"내가 만드는 연필을 사는 건 사람들 자유인데 왜 나한테 그러는 거야?"

"그래도 연필이 없었으면 사람들이 사지 않았잖아요."

"그래, 내가 안 팔면 그만이지……. 그런데 내 연필에 의지한 사람들은 어떻게 할 건데? 내가 만약 연필 생산을 그만두면 너희는 어렸을 때 그러니까…… 연필을 쓰지 않았을 어릴 때로 돌아가게 되지."

도영이가 깜짝 놀라며 대답했다.

"그게 무슨 말인가요?"

"어렸을 적의 너희가 신비한 연필의 존재를 인정하면 현실의 세계는 변함이 없어. 하지만 연필을 부정한다면 지금의 기억은 사라지고 다시 어린 시절로 돌아가지. 어떤 선택을 할 건가?"

형진이는 고민하며 말했다.

"모든 기억이 사라져도 모든 사람이 정직했던 시절로 돌아갈래. 연필의 도움 따윈 받고 싶지 않아."

"그래, 알겠다. 과거로 보내주지. 하지만 너의 가장 친한 친구인 김도영은 너의 기억에서 지워지지."

"안 돼! 하지 마."

다음 날 아침이 되었다. 형진이는 깊은 꿈을 꾼 듯이 일어났다. 자신의 어렸을 때로 돌아가 있었고, 도영이라는 이름은 형진이의 기억 속에서 사라지게 되었다. 그렇게 아무 일이 없던 것처럼 다시 하루가 시작되었다.

제7화

여름이었다

여름이었다

박재현, 박지우
신민준, 신지호, 이태민

리아가 책가방을 챙기다가 소리쳤다.

"야! 내 물건 빨리 내놔!"

남주가 황급히 말했다.

"잠깐만, 몇 개만 빌릴게."

"아니, 그거 진짜 구하기 힘든 한정판 BTS 오빠들 포토 카드라고!"

리아와 남주는 남매다. 매일매일 하루도 빠짐없이 싸우기 바쁘다. 결국 남주는 리아의 포토 카드를 빌리지도 못하고 알밤만 한 대 맞게 되었다.

"띵동, 띵동! 학교 가자."

리아의 친한 친구인 여주가 현관문에서 기다렸다. 리

아와 여주는 등교하면서 곧 다가올 방학에 놀 계획을 세웠다. 리아는 뭔가 새로운 경험을 하고 싶었다.

"우리들의 아주 멋진 모험을 떠나는 건 어때?"

"모험, 좋지."

둘은 참 우정 깊은 사이였다. 학교에 도착한 둘은 열심히 수업에 참여하고 있을 때였다.

삐삐, 재난문자가 도착했다. 강한 태풍이 온다고 했다. 뜬금없이 갑자기 긴급 속보라는 게 너무 이상했다.

오 분 정도 지났을까. 강한 바람이 불었다. 창문은 세게 흔들리고 교실문도 덜컹거렸다. 핸드폰은 인터넷 연결이 되지 않았다. 학교 측은 얼른 학생들을 대피시켰다. 모두 강당에 모였는데 학생들은 빽빽한 콩나물시루 같았다.

리아와 여주는 이 상황이 너무 무서웠다. 둘은 손을 꼭 잡고 눈을 감고 빌었다. 여주는 주문을 외우듯 나지막이 읊조렸다.

"제발 시간을 되돌아가게 해 주세요."

그때였다. 리아와 여주는 소용돌이에 빨려 들어갔다.

잠시 후, 바닥에 엉덩이를 쾅 부딪친 리아가 소리쳤다.

"아야! 그나저나 여기가 어디지?"

주변을 두리번거려도 도통 알 수 없는 곳이었다. 리아가 큰 소리로 여주를 깨웠다.

"여주야, 일어나!"

"리, 리아야……."

"어? 일어났어?"

여주가 눈을 비비며 주변을 살폈다.

"여기가 어디야?"

"나도 여기가 어딘지 모르겠어."

"우리가 어쩌다가 여기에 왔지?"

"우리가 태풍을 피하려고 강당에 있었는데……."

잠시 생각에 잠긴 여주가 입술을 꾹 다물었다.

"일단 여기가 어디인지 알아보자! 저기로 가보자!"

"알겠어. 한번 길을 찾아보자."

그렇게 둘은 끝없는 길을 걷고 또 걸었다.

"여주야, 더 가야 해? 너무 힘들어. 배고파."

"조금만 참아. 우리 엄마가 그랬어. 정말 힘들 때 조금 더 가는 거라고!"

그러던 그때 풀잎 사이사이로 눈부시게 빛나는 황금빛

의 문이 보였다.

"여주야, 나 힘들어. 도저히 못 가겠어."

그때였다.

"리아야, 저, 저것 좀 봐."

황금빛이 살며시 비치고 있었다.

"응? 저게 뭐지. 별로 들어가긴 싫은데."

"뭐가 싫어? 빨리 가자!"

여기에서 빠져나갈 희망인 것 같아 여주는 힘이 났다. 둘은 금빛이 보이는 곳으로 갔다. 그곳엔 황금색의 큰 문이 있었다. 황금열쇠가 문에 꽂혀 있는데, 천천히 돌려보았다.

리아는 열면 안 된다고 했지만 여주는 아랑곳하지 않고 문을 열었다.

"어? 어어어……, 으악!"

둘은 황금 문 속에 빨려 들어갔다.

"어이쿠, 엉덩이를 몇 번이나 박는 거야?"

눈을 뜬 순간 앞이 너무나 눈부셔서 눈이 떠지지 않았다. 리아는 아픈 엉덩이를 문지르며 자리에서 일어났다.

희미하게 본 것은 바로 황금으로 된 사람들, 황금으로
된 놀이공원, 음식점, 비행기, 기차, 황금사과였다. 모든
게 반짝반짝 빛나는 황금이었다.

"리아야, 저것 봐! 엉? 어디 갔지?"

"히히! 헤헤."

리아는 이미 황금들판에서 뛰놀고 있었다.

"여주야, 안 오고 뭐해? 어서 와."

"알겠어!"

실컷 뛰어놀았던 리아는 슬슬 배가 고프기 시작했다.

'배고프니까 이 황금사과를 먹어도 되겠지?'

"아삭아삭."

"여주야, 이 사과 먹어봐. 맛있어!"

"먹으면 안 될 것 같은데……."

"괜찮아. 나 이미 먹었는데 아무런 증상이 없어."

"그래도……. 아냐, 난 안 먹을래!"

"그럼 됐고. 놀이공원에 가자! 저기 황금으로 된 사람도 많아."

놀이공원은 황금빛으로 반짝거리고, 최신 기술로 만들어진 놀이 기구가 많았다. 속도감은 정말 최고였다.

"슈우웅, 위이잉, 칙칙."

"까아악, 아아아……."

둘은 너무나 즐거웠다. 한창을 뛰어놀던 여주는 갑자기 멈춰 섰다.

"우리 지금 이대로 있으면 안 돼. 얼른 집으로 가는 길을 찾아보자. 다시 황금 문을 찾아볼까?"

"그러자!"

아까는 보이던 문이 지금은 보이지 않았다. 간절히 바라면 이루어진다는 말이 떠오른 순간, 강렬한 황금빛을 내는 문이 보였다. 가까이 다가갈수록 빛은 더욱 강해 눈을 뜨기 어려웠다. 가느다란 실눈을 뜨며 여주는 황금열쇠를 돌렸다. 리아와 여주는 망설임 없이 문 속으로 들어갔다.

우르르, 쾅쾅! 강한 빗줄기가 온몸을 감쌌다.

"누나, 얼른 일어나. 왜 다시 자고 있는 거야?"

남주가 침대에서 잠꼬대를 하는 리아를 흔들어 깨웠다.

"여주 누나가 학교에 가자고 우리 집에 왔는데……."

눈을 뜬 리아는 중얼거렸다.

"그게, 강한 태풍이 온다고 해서 피하다가……. 황금문에 들어갔는데……."

"무슨 말이야? 얼른 일어나서 학교 가!"

리아는 현실 같은 생생한 꿈에서 깨어났다. 신기하게도 손에는 황금열쇠가 쥐어져 있었다. 또 다른 모험을 할 수 있는 열쇠인지는 알 수 없었다.

작가의 말

『괘종시계 소리』

▸ 주서현: 힘든 순간도 많았지만 선생님과 친구들 덕분에 무사히 책을 만들 수 있었습니다. 이런 기회를 만들어주신 선생님과 힘든 순간도 같이한 친구가 고맙습니다.

▸ 정수빈: 6학년을 기억할 수 있는 소중한 책을 만들어 뿌듯합니다. 다른 사람도 이 책을 읽고 웃어주면 좋겠습니다.

▸ 한예지: 이야기책보다는 만화책으로 표현하면 더 눈길을 끌 수 있을 것 같았습니다. 내 이름이 들어간 책이 만들어져 뿌듯합니다.

『퐁퐁이의 모험』

▸ 전민환: 친구와 많은 시간을 보내어 좋았고, 협동할 수 있어서 즐거웠습니다. 열심히 편집해 주신 선생님께 감사드립니다.

▸ 홍민혁: 6학년 마지막에 초등학교를 대표하고 기억에 남을 만한 일을 해서 정말 기쁩니다.

『마법의 물약』

▸ 김다인: 원래는 책을 안 좋아했지만 내가 직접 책을 만들어 보니 책을 만드는 데 걸리는 노력과 시간이 많다는 걸

알게 되었고, 이 책을 사람들이 좋아했으면 좋겠습니다.

▸ 송하율: 친구들과 협동하여 글을 쓴 것은 기억의 추억 중 하나가 될 것 같습니다.

▸ 장재민: 책을 만들면서 친구들한테는 많은 도움은 못 주었지만 그래도 옆에서 함께 해서 즐거웠습니다.

▸ 전우영: 친구들과 사이가 더 좋아졌고, 좋은 추억을 쌓을 수 있었던 좋은 추억이 되었습니다.

▸ 최윤서: 이 책이 나의 꿈에 발판이 되어줄 것입니다.

『수상한 출입문』

▸ 김주영: 완전히 완벽하지는 않지만 만드는 과정 동안 완전히 협동할 수 있었습니다.

▸ 손민우: 이 작품을 하면서 친구들과 좋은 경험을 한 것 같고, 우리의 이야기가 마무리되었을 때 너무 뿌듯했습니다.

▸ 이예준: 친구들과 같이 책을 출판한 것은 인생에서 멋진 경험이 되었습니다. 책을 만든 경험이 나중에 책을 쓸 때 도움이 될 것입니다.

▸ 이태훈: 이 책은 내 삶의 일부가 되었습니다.

『신비로운 공책』

▸ 김채현: 모든 친구들이 포기하지 않고, 열심히 멋진 책을 만들어서 행복합니다.

▸ 변성원: 초등학교에서 이렇게 즐거운 적은 없었습니다.

▶ 추지영: 이 책에 나의 동심을 담아 썼습니다. 보시는 독자들도 동심을 다시 느끼고 재미있게 보셨으면 좋겠습니다.

▶ 최형준: 이야기를 고치는 것이 어려웠습니다.

『비밀의 문구』

▶ 김가영: 완벽한 글과 그림이 아니더라도 글을 쓰고 그림을 그리는 과정 동안은 신났고, 완성을 했을 땐 노력한 보람이 있어서 좋았습니다.

▶ 김도균: 책을 만들면서 그림을 그리는 게 힘들었습니다.

▶ 이형우: 시작과 끝이 있으니 끝까지 재미있게 봐주세요.

▶ 조서진: 이 소설로 내 꿈을 이룬 것 같고, 쓰는 동안 내 모든 걱정이 없어졌습니다.

『여름이었다』

▶ 박재현: 부족한 점이 많았는데 선생님께서 지도해 주셔서 글쓰기 실력을 키울 수 있었습니다.

▶ 박지우: 나의 꿈을 정할 수 있었고, 6학년의 즐거운 추억을 만드는 시간이었습니다.

▶ 신민준: 재미있게 보셨나요? 힘들게 쓰고 그린 것이니까 재미있게 책을 읽으면 좋겠습니다.

▶ 신지호: 6학년 생활 중에 이 책이 가장 기억에 남을 것입니다.

▶ 이태민: 쓰고 또 쓰면 어느새 정상에 도달합니다.